KB125806

레몬맛 여름

목차

시작

제1장 여름

제2장 사랑

제3장 젊음과 낭만에 대한 고찰

여는 말,

여름에 출판된 여름이라니
정말 지독히도 푸르지 않습니까?

제 1 장
여름

레몬맛 여름

우리의 끔찍한 여름은
부서지는 샛노란 파도일까
넘실거리는 새파란 레몬일까

먼 미래에 꾹꾹 눌러 쓸
우리의 잠식된 청춘

땀으로 온몸이 젖어 끈적여도
기어코 나타난 나무 그늘에
영원할 것처럼 웃는 너와 나

그 미소에 흩어지는 젊음
우리의 지독한 여름은 레몬맛이야

여름 특별 잡지

제멋대로 새파란 하늘이라
새콤한 계절이 찾아왔어요
여름 특별 잡지가 출간되었습니다

살랑이며 불어오는 바람에
여름맛 바다 향기가 묻어있습니다
이윽고 찾아온 여름입니다
곧 청포도 에이드에 녹아들 여름입니다

물씬 풍겨온 바람이에요
성큼 다가온 여름 특별 잡지입니다

요구르트

둥둥 떠오른 얼음이 녹아내리고
그렇게 흘러버린 청춘은 물감이 되는
초록의 계절은 또한 여름

강렬하게 내리쬐는 태양에게
우리의 계절을 기꺼이 맡기며
돌아가는 단편 필름에 건배

그 여름 뜨거운 요구르트에선
시큼한 맛이 났다

화양연화

지는 노을을 보며 날을 지새우고
달빛이 유난히 밝던 그날에
너는 나를 보고 웃었지

여름의 바다는 끝내 아름다웠고
우리의 사랑은 철없이 불타는 폭죽같이 하늘을 수
놓았고 그걸 바라보는 우리 또한 내내 푸르렀다
실없는 농담을 던지는 너는 내 사계절이었고
칠 월의 쪽빛 하늘에 흩날리는 진눈깨비를 닮아
기어코 내 마음을 전부 내놓은 것이었다

조개 껍질을 한 움큼 쥐어 내게 내보이던 너
그 손틈 사이로 흐르던 모래는 눈부실 정도였기에
결국 한낱 더위의 착각이었다
세상의 여름을 몽땅 가졌다는,
그런 어리석기 그지없는

너는 결말에 부서진 파도여라
그 네 글자는 화양연화인지라

유한한 여름

여름은 항상 우리에게 속절없이 밀려옵니다
마치 파도처럼 흘러넘친 청춘은
곧 모래처럼 바스라지기 마련입니다

젊음에 대한 찬가
우리는 유한한 여름을 노래하며 웃습니다
티없이 파랗던 우리의 청춘은
늘 그렇듯 흩어집니다

낭만주의보

찬란히 내리는 노을
줍지도 못할 바닷물을
우리는 한아름 끌어안는다

그렇게 넘쳐난 황혼은
내 손에 한 줌 모래가 되어 흩어지고
쪄 죽어버려도 좋을 여름이라

봄이 오면 우리 훌쩍 떠나버리자
그 말에 마침내 웃어버리면
마침내 우리가 그려낸 여름을
나는 또 한 입 베어문다

비눗방울

내가 좋다는 말에
한바탕 웃어버린 어느 여름날
우리는 한창의 청춘이었고
그 모든 것이 죽도록 아름다워서
또 한 번 웃어버린 어느 여름날

그 무렵 밤바다는 황홀하다 말할 수 있었기 때문에
쏟아져 내릴 것만 같은 별들은 그 음만으로도 기꺼
웠기 때문에

팔 월

팔 월의 오후 3시
이른 잠에 빠져들어 달콤한 꿈을 꿨던
팔 월의 느지막한 장마철

내리는 빗방울에 그림자가 지면
이내 달짝지근한 우리의 사랑을 여름에 빗대어
읊어주던 네가 그려져
홀로 살풋 웃었다

느지막한 장마철
한여름 낮의 꿈

초여름

여름의 향기가 풍기기 시작하는
초여름이 좋다고 말하던 너
나무가 초록으로 물들어 가면
그제서야 여름이 좋다 말할 수 있었다

아, 더위의 시작이라 이 얼마나 아름다운가
달빛이 흩어져 으스러지던 바닷가
발을 파고드는 모래의 촉감이 간지러워 미소 짓고

적당히 무른 토마토를 베어물며
이제 곧 여름이구나
실없이 낭만을 맞이하던 너와 나

아지랑이

2019년의 여름이 돌아오면
아지랑이가 피어나
머리가 핑 돌아 이내 아득한 태양을 붙잡던

그렇게 붙잡은 너의 손에 땀이 나도 덜컥 웃을 수
있던 여름이라는 단어가 너무나도 아름다워서 울음
이 나던

제 2장
사랑

잠식

별빛이 꺼져버린 하늘
그 까마득한 어둠에
사람들은 폭죽을 쏘아올린다

별님, 별님, 그것 아세요?
사람들은 별님을 흉내냅니다

그렇게 읊어낸 사랑에
나는 달빛을 덮고 잠들었기에

멸망

결국 이 세상 모든 것에는
처음이 있고 마지막이 있노라

퍼렇게 바래버린 세상
내뱉는 호흡은 잿빛

오늘날 멸망해버린 우리의 사랑
추신,
그럼 미래의 너에게

사랑의 발음

그렇게 일 년이 지났을까
나는 사랑을 발음하는 법을 잊었다

네가 없는 나는
함께 웃어버리던 쪽빛 황혼과
그리 해사하던 계절에 갇혀
영영 휩쓸려 잠식되는 것이라서,

나는 사랑을 발음하는 법을 잊었다

유통기한

우리 사랑의 유통기한은 어떻게 되나요
청록빛 비커에 담으면 흘러넘칠 듯 위태로우면서도
삼켜지는 바다에 내놓으면 곧 증발하는
우리 사랑의 유통기한은 어떻게 되나요

우리 사랑은 어디를 바라보고 있나요
새빨간 토마토 하나에도 기꺼이 미소를 띄우는
티끌 하나 없이 온전한 초여름인 우리의 사랑은
어디를 향하고 있나요

너는 내 물음을 삼켜내고
그 모습에 나는 멍청하게 웃어버립니다
우리 사랑의 유통기한은 어떻게 되나요

안부

저는 늘상 그랬던 것처럼
그저 그렇게 하루를 보내고 있습니다

당신이 조금만 더 불운하길 바라며
당신이 텅 빈 옆자리를 가늠할 때마다
조금만 더 많은 눈물을 흘리기를 기원하며
그저 그렇게 지내는 것입니다

그러다 마침내 비가 내리면
저는 그제서야 당신의 행복을 염원하겠습니다

시집

그대 생각에 시집을 샀습니다
읽지도 않을 시집을 따뜻한 품에 꼭 끌어안고서
그대 생각에 또 울음을 뱉어냈습니다

건네려던 말을 주저해 삼켜냅니다
그것마저
시집에서 읽은 구절에 지나지 않았기에

무제

우리의 사랑은 퍽 아름다웠을까
그 해의 우리는 꽤나 찬란했을까

골절된 사랑에 우리는 절뚝거렸고
텁텁한 풋사과에도 웃어넘기던
우리의 사랑은 부서져도 좋을 심장을 닮아있었다

가끔은 네가 이 세상에서 사라지길 염원한다

왈츠

빗속의 왈츠
빗소리에 묻혀 울려퍼지던 음악마저
눈물이 날 정도로 황홀했기에

그날 우리의 사랑은 오케스트라
투박하게 웃는 네 모습은
서툴게 사랑을 따라하던 우리의 모습과 닮아있었고
그에 기어코 눈물을 흘리던

빗방울과 뒤섞여 내리던
빗속의 왈츠

낙오된 사랑

세상에서 떨구어진
낙오된 사랑
우리는 그런 사랑을 해

처절한 여름
너의 손을 잡고 유영하는 우주는
잠겨 죽어버려도 기꺼울 만큼 아름다워서

환상

그해 나에게 웃어주던 너는 환상이었을까
여름날 더위에 찌든 내게 보이던
아른거리는 환상이었을까

손을 뻗으면 닿을 것 같던 너는
금방이라도 나를 왈칵 끌어안을 것 같던 너는
그저 잡으면 마냥 흩어지는
환상이었을까

그럼에도 너무 생생해서
울음이 비집고 나오는 모습은
푹푹 찌는 그해 여름을 닮아있어서

네가 내게 알려줬던 사랑도
한낱 환상이었을까

두근대던 내 심장도
부글거리던 탄산수도
전부

환상이었나

제3장
젊음과 낭만에 대한 고찰

열다섯

공기 중으로 흩어지던 숨 한 모금
서로를 바라보며 거짓말이라도 영원을 읊조리던
퍽이나 아름다웠던 겨울날

그해 지나던 봄은 유난히 젊었고
가로등의 불빛을 받아 반짝이던 벚꽃잎은
내리는 비에 부질없이 흩날렸다

고스란히 안겨오던 네 체온은
서늘한 밤공기와 뒤섞여
사람들은 사랑을 빨갛다 이르렀고
나는 비로소 그 뜻을 알게 되었다

내 귓가에 나지막이 사랑을 말해주던
그런 너가 내뱉던 영원은 특히나 텅 비어있었고
결국 웃어버리면 밝아오던 저녁

떨어지는 나뭇잎
낙하하던 봄날의 바다

멀어지던 한숨

그새 성큼 다가온
열다섯 번째 어름
초라한 맞이

그럼에도 우리는 열다섯이었기에

폴라로이드

색 바랜 필름 조각에 담긴 것
조금은 어색한 하트
해사하게 웃던 모습

그리고 우리의 추억
추억 한 장
추억 두 장에 여름 하나

어느덧 바래버린 사진에 여름 둘

여름이 다가오면 우리는

여름이 다가오면 우리는
멀리멀리 떠나자
아무도 찾지 않는 곳으로

여름이 다가오면 우리는
새파란 바다를 헤엄쳐
발길이 닿지 않는 곳으로 떠나버리자

여름이 다가오면
그런 여름을 맞이할 우리는

99번째 여름

칠 월 중순의 우리는
99번째 여름

목을 태우는 블루레몬에이드는
100번째 파랑

넘쳐오른 바닷물에 푹 젖어버린 너는
98번째 여름

너 없이 여름을 지새울 나는
더없이, 그저
여름

100번째 사랑

우리 사랑을 하자
역사에 길이 남을 사랑을 하자

역사에 남지 않더라도
우리의 기억에 남을 사랑을 하자
고르지 않고 무심코 뱉어버린 말에
우리의 청춘에 새겨질 사랑을 하자

먼 훗날 펼처본 추억에
아무 생각 없이 웃을 수 있도록

우리 사랑을 하자

우리 사랑을 하자
유치해도 마지막에는 끝내 찬란할
그런 사랑을 하자

꽃다발

보이는 꽃집에 들어가
낭만 한 송이를 샀다

내가 산 낭만 한 송이
네가 쥐여준 낭만 한 송이
떠나간 여름에 보낼 낭만 한 송이
다가올 청춘에 흘려보낼 낭만 한 송이

마지막으로
영원할 우리의 젊음에 낭만 한 송이

그렇게 꽃다발을 한 아름 끌어안고
환하게 웃음을 토해내고

다시금

몇 번의 여름이 지나가고
몇 번의 청춘이 지나가고

이걸 파랑이라 이를 수 있나 고민해도
결국은 눈 감는 순간에 회상될 젊음이라

푸르른 봄
그 한철에 우리는 지독한 사랑을 해서
아까운 젊음을 떠나보내는 걸 아쉬워하며
그렇게 고한 작별

몇 번의 여름이 와도
다시금 여름이 와도

그것 또한 흩어질 순간에 회상될 젊음이라
나는 또한 다시금

바다

바다가 아름답다 말할 수 있었고
그것 마저 내게는 행복이었다

어설프게 헤엄을 치다
이내 바닷물 속에서 고꾸라진 너
저렇게 가라앉을까 겁이 나도
곧 나를 덥썩 끌어안는 네 모습이 기꺼워서
나는 웃었다

너는 바다가 아름답다 말했고
그에 고개를 주억이며
영원히 기억될 음절을 곱씹었다

아마도 그해 바다는
분명 아름다웠다

젊음과 낭만에 대한 고찰

고찰이라 할 것도 없습니다
여름에 젊음을 빗대며
매순간 흘러가고 있는 청춘에 낭만을 고르며

그저 웃으면 되는 것입니다

한 입 베어문 수박이 맛있어서 웃고
머금은 에이드가 달콤해서 웃고
또다시 찾아온 레몬맛 여름에 웃고
그게 행복이라 치부하면 되는 것입니다

사계절을 노래하고
찬란한 오늘에 기어코 웃고
남겨질 노을에 건배를 하며
서로를 바라보면 되는 것입니다

젊음과 낭만에 대한 고찰
당신을 눈에 담으며
영원할 것 같은 여름에 우리의 추억을 새기며

이 여름은 우리의 것이다 선언하고

마침내 당신과 나의 것이 된 여름에게
다시 한 번 웃으면 되는 것입니다

언젠가 지나갈 나의 젊음에게
영원할 것만 같은 나의 청춘에게

또한 다시 찾아올
나의 여름에게

낭만
젊음
청춘

그리고
여름

내가 좋아하는 단어들에
추억을 담아

올림,

친애하는 나의 여름의 일부분을 위해
청춘의 한 편에게

레몬맛 여름

발　행 | 2024년 6월 10일
저　자 | 한지원
펴낸이 | 한건희
펴낸곳 | 주식회사 부크크
출판사등록 | 2014.07.15.(제2014-16호)
주　소 | 서울특별시 금천구 가산디지털1로 119 SK트윈타워 A동
305호
전　화 | 1670-8316
이메일 | info@bookk.co.kr

ISBN | 979-11-410-8892-7

www.bookk.co.kr